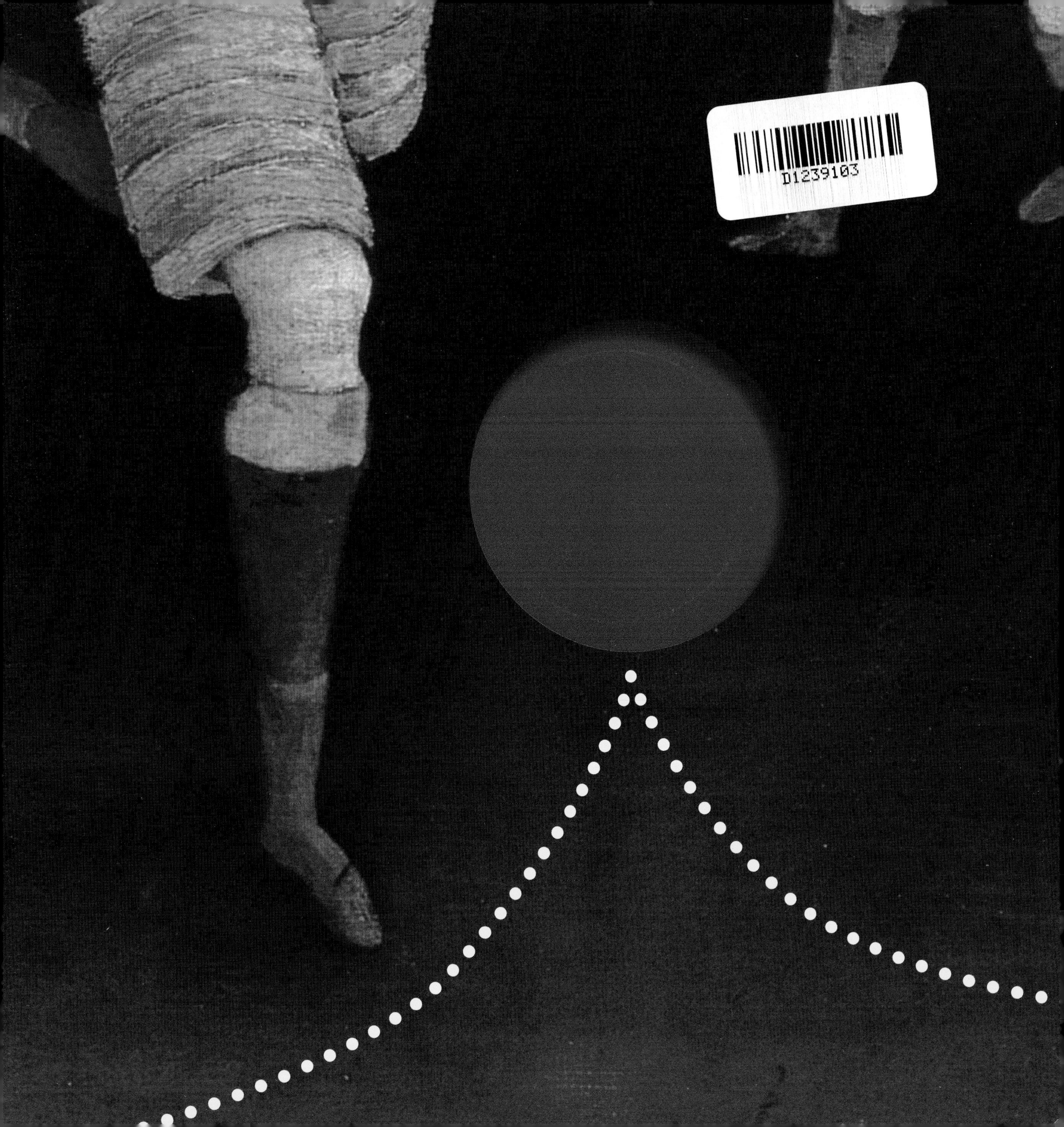
D1239103

Crédits photographiques
Couverture : Le Douanier Rousseau, Les joueurs de football, 1908 (détail) © Arthotek / La Collection
p. 9, Félix Vallotton, Enfant jouant au ballon ou Le ballon, 1899 / BIS © Archives Larbor (détail repris en couverture)
p. 13, Le Douanier Rousseau, Les joueurs de football, 1908 © Arthotek / La Collection
p. 17, Marc Chagall, Le cirque bleu, 1950 © RMN / Gérard Blot /© ADAGP, Paris 2013
p. 21, Henri Matisse, Icare, papiers collés, 1946 / Photo Centre Pompidou / MNAM-CCI, Dist. RMN / Philippe Migeat © Succession Henri Matisse
p. 25, Pablo Picasso, Portrait de femme au chapeau à pompons et corsage imprimé, 1962 © Succession Picasso 2013 / Ph. ©AISA / The Bridgeman Art Library
p. 29, Joan Miro, Femmes et oiseau, la nuit, 1944 / © The Metropolitan Museum of Art, Dist. RMN / Malcom Varon © Successio Miro-ADAGP, Paris 2013
p. 33, Fernand Léger, Les constructeurs, 1950 © AKG-Images / André Held / © ADAGP, Paris 2013
p. 37, Kasimir Malevitch, Paysans © 2013 Photo Scala, Florence
p. 41 Vassily Kandinsky, Sans titre, aquarelle, encre de chine, 1940 © Centre Pompidou, MNAM-CCI, Dist. RMN / Jacqueline Hyde / © ADAGP, Paris 2013
p. 45 Paul Klee, Senecio, 1922 © Bridgeman Art Library

Loi n° 49-956 du 16 juillet 1949
sur les publications destinées à la jeunesse.
© Éditions Nathan, 2013.
ISBN : 978-2-09-254343-6
N° d'éditeur : 10188192
Dépôt légal : mars 2013

marie sellier

10 tableaux et un ballon rouge

Nathan

Un chapeau de soleil en paille jaune,

un drôle de monstre vert

et... un ballon rouge !

Dans quelle peinture, dans quelle histoire ?

Mystère, mystère ! Allons voir !

C'est l'été, il fait beau, il fait chaud.
Un enfant court après son ballon rouge.
Est-ce une fille ou un garçon aux cheveux longs ?
On ne sait pas, on n'en sait rien.
Là-bas au loin, les deux grandes personnes
en bleu et blanc paraissent toutes petites.
Et le monstre vert, où est-il passé ?
Monsieur Vallotton, qui a peint ce tableau,
en a caché plusieurs dans les feuilles des grands arbres.
Voyons, voyons, les vois-tu ?
Et roule, roule le ballon rouge.

Felix Vallotton
Le ballon
1889

Un monsieur aux moustaches bien noires,

un arbre sur le ciel bleu

et... un ballon rouge.

Dans quelle peinture, dans quelle histoire ?

Mystère, mystère ! Allons voir !

Ils sont quatre. Hop ! Hop !

Quatre messieurs à grosse moustache

qui jouent au foot entre les arbres.

Hop ! Hop ! Drôles de joueurs !

Le Douanier Rousseau, qui est un peintre très appliqué,

a tracé du bout de son pinceau

les fines rayures de leurs pyjamas de sport.

Allez, allez messieurs, il est bientôt l'heure d'aller se coucher !

Et roule, roule le ballon rouge...

Le Douanier Rousseau
Les joueurs de football
1908

Henri Rousseau
1908

Un animal vert,

une lune qui joue du violon,

et un ballon rouge !

Dans quelle peinture, dans quelle histoire ?

Mystère, mystère ! Allons voir !

Ce ballon rouge c'est la poitrine toute ronde
de la jolie trapéziste qui fait son numéro.
Un jour, ou plutôt une nuit,
monsieur Chagall a rêvé de ce cirque tout en l'air,
et l'a peint en bleu, rouge, jaune, rose et vert.
A-t-on jamais vu un cheval pareil ?
Un poisson qui vole en jetant des fleurs ?
Une petite lune en plein soleil ?
Et quoi encore ? Regardons bien, regardons mieux
ce qui se cache dans les ombres bleues..

Et roule, roule le ballon rouge.

Marc Chagall
Le cirque bleu
1950

Un, deux, trois, quatre, cinq, six étoiles-soleil

et… un ballon rouge.

Dans quel tableau, dans quelle histoire ?

Mystère, mystère ! Allons voir !

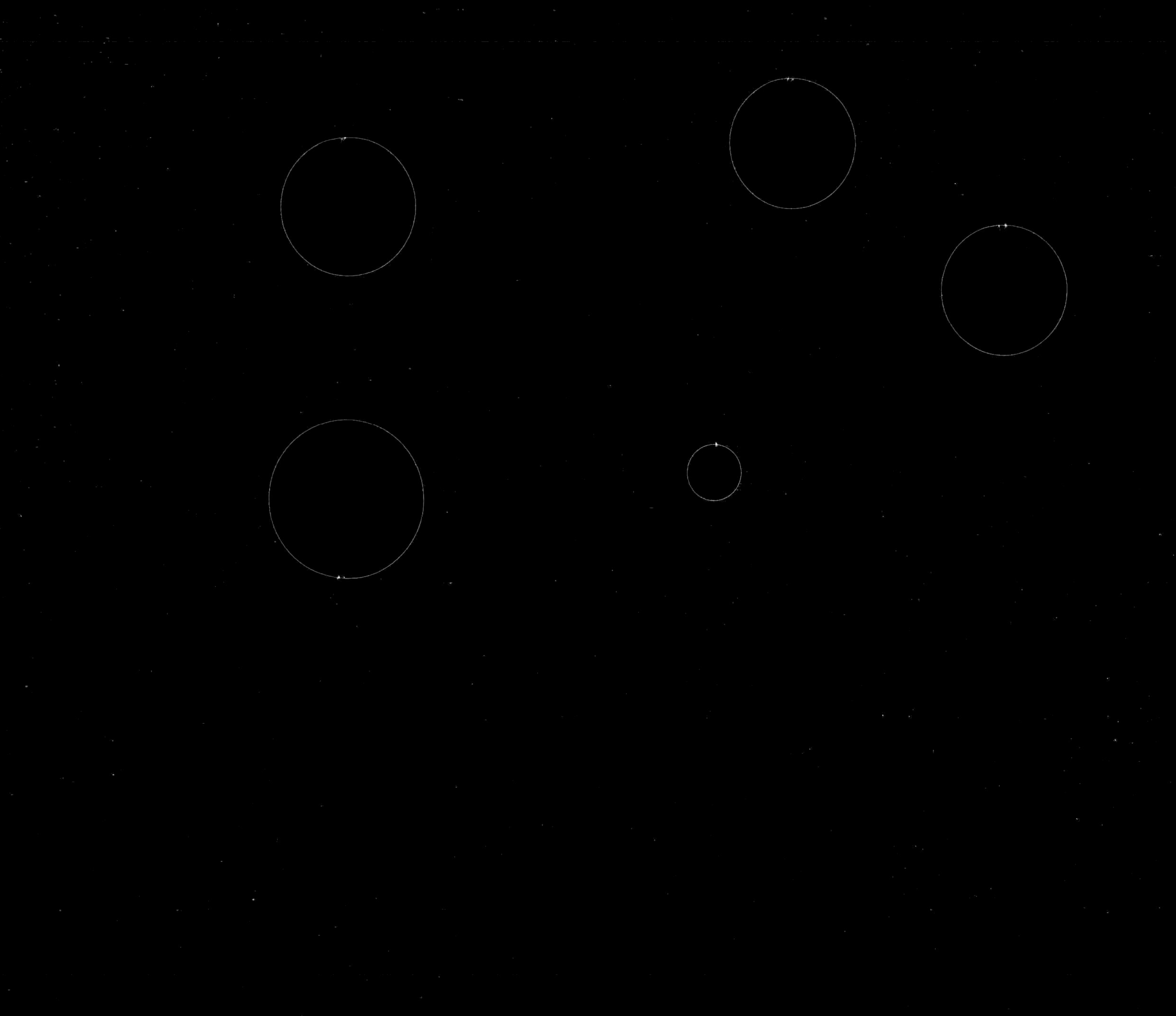

Boum,

Boum,

Boum !

Ce ballon rouge,
c'est le cœur du grand homme noir
qui bat, qui bat, dans le bleu de la nuit,
au milieu des étoiles-soleil.
Monsieur Matisse a fait ce tableau avec des ciseaux :
il a découpé le grand homme noir,
les étoiles-soleil et le ballon rouge
du cœur qui bat, qui bat, dans de belles feuilles
de papier noir, jaune, rouge et il les a collés
un à un sur le bleu de la nuit.

Et roule, roule le ballon rouge…

Henri Matisse
Icare
1943

H Matisse Juill 46

Un gros œil noir,
un petit jardin d'herbes vertes
et… un ballon rouge.
Dans quel tableau, dans quelle histoire ?
Mystère, mystère ! Allons voir !

Monsieur Picasso s'amuse.

Il aime jouer avec les formes et les couleurs.

Il dessine des cheveux comme des herbes vertes,
peint une joue tomate, une autre soleil,
et des pompons ronds comme des ballons sur un chapeau de paille.
Pour donner bonne mine à madame Toucouleur,
monsieur Picasso s'est transformé en jardinier.

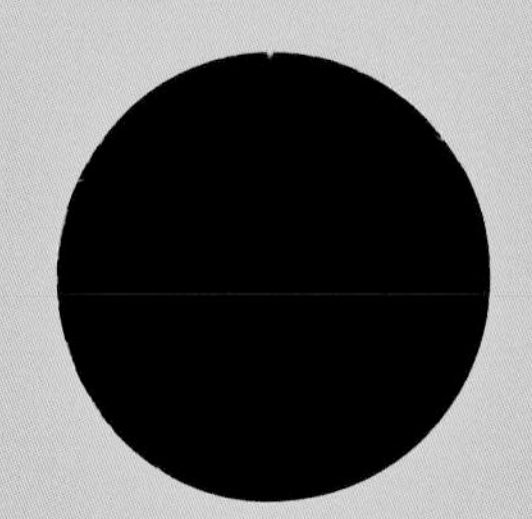

Et roule, roule le ballon rouge.

Picasso
Portrait de femme au chapeau
à pompons et au corsage imprimé
1962

Une lune jaune, une lune bleue,
deux oiseaux aux grands yeux
et… un ballon rouge.
Dans quel tableau, dans quelle histoire ?
Mystère, mystère ! Allons voir !

Deux messieurs à casquette,
une main levée
et... un ballon rouge.

Dans quelle peinture, dans quelle histoire ?
Mystère, mystère ! Allons voir !

Six jambes,
six pieds
et… un ballon rouge.

Dans quel tableau, dans quelle histoire ?
Mystère, mystère ! Allons voir !

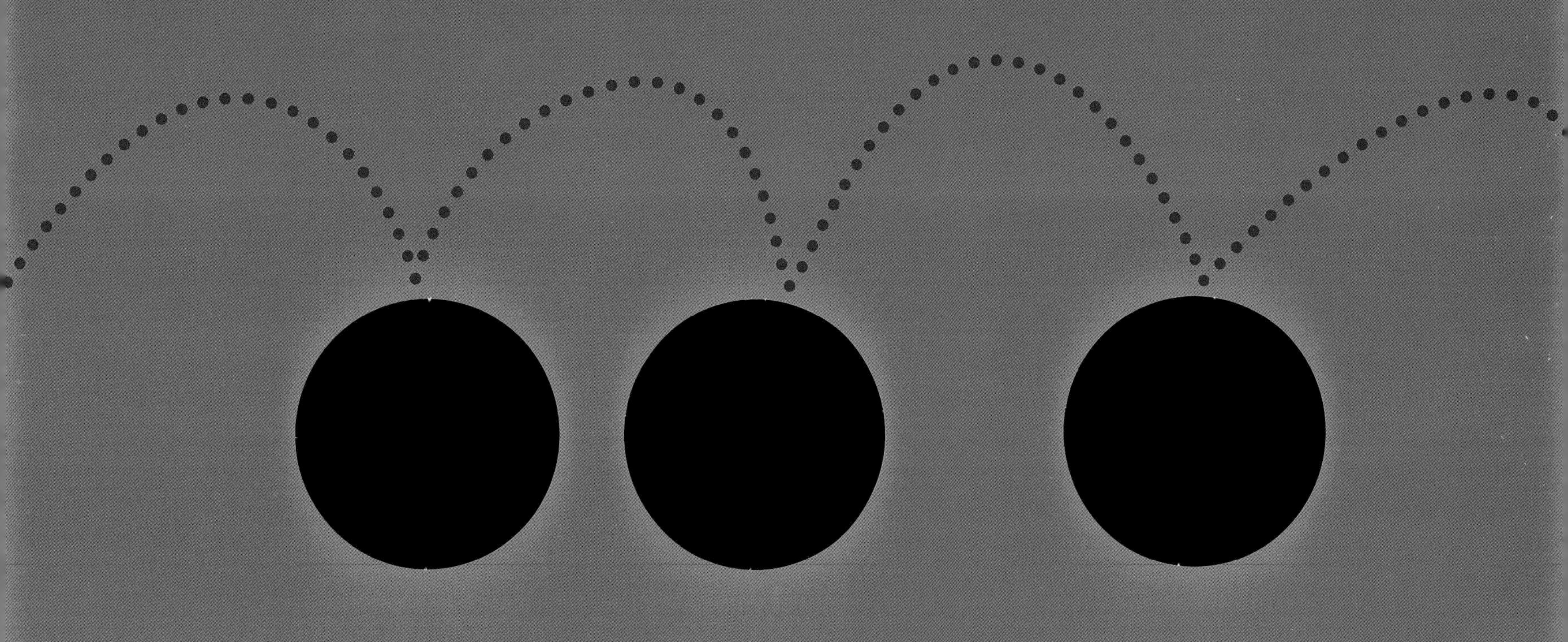

Monsieur Malevitch a peint trois messieurs
sans bras, sans yeux, sans nez, ni bouche.
Comme c'est curieux !
Trois messieurs en blanc, en noir, en bleu,
tête noire, ballon noir,
ou tête rouge, ballon rouge.
Que font-ils là tous les trois ?
Qu'attendent-ils sur le ciel bleu ?

Peut-être que le monde aille mieux.
Et roule, roule le ballon rouge...

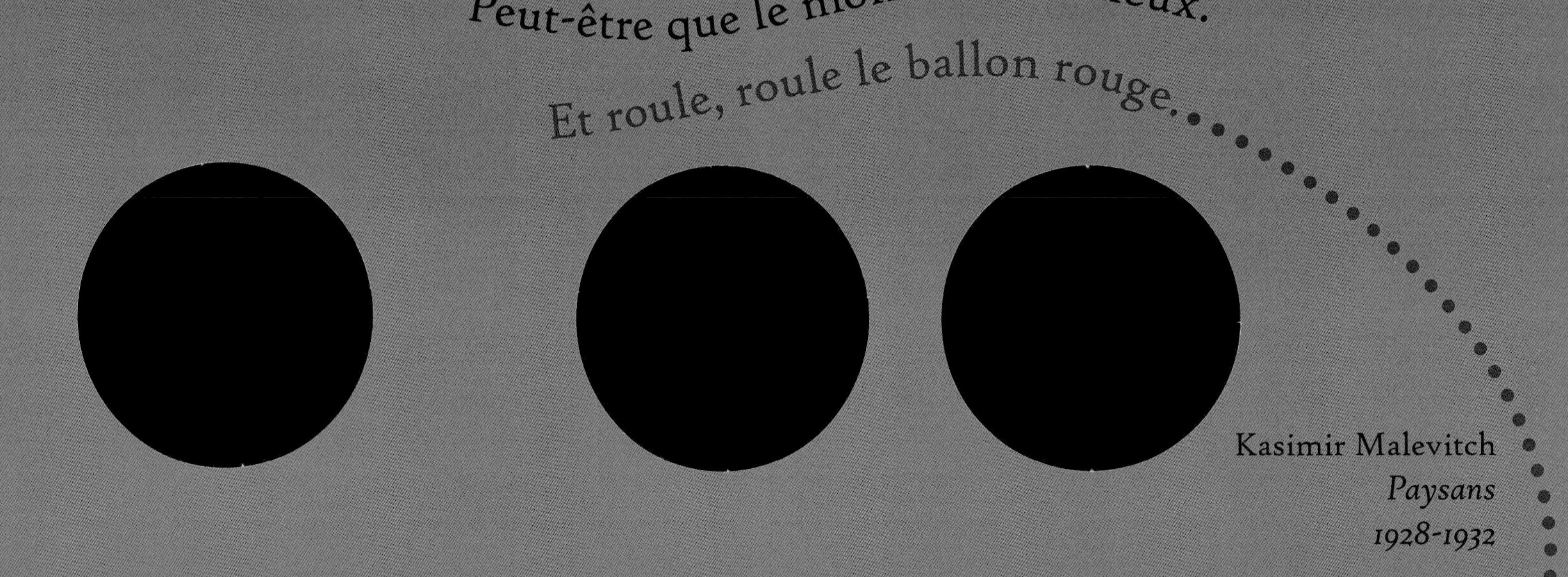

Kasimir Malevitch
Paysans
1928-1932

Un têtard en pyjama, tête en bas,
un tambour à rubans
et... un ballon rouge.
Dans quel tableau, dans quelle histoire ?
Mystère, mystère ! Allons voir !

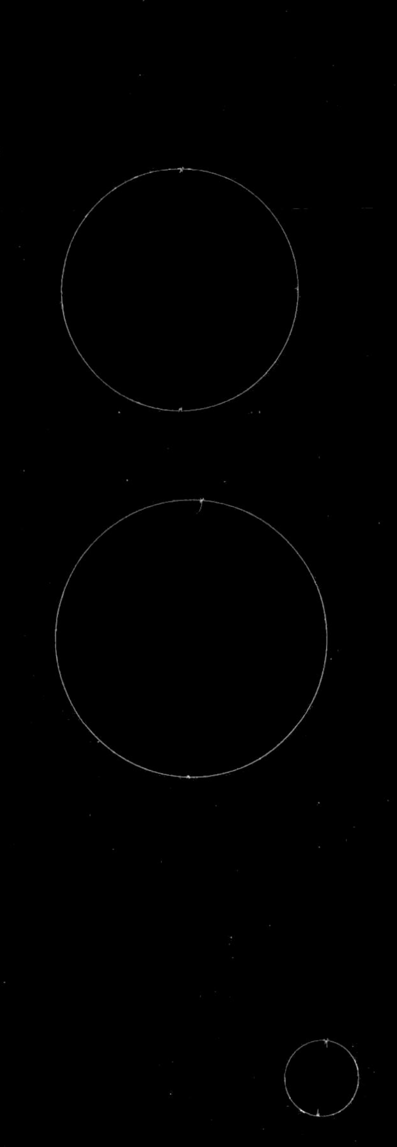

Monsieur Kandinsky a peint la danse des têtards,

des têtards de l'espace.

C'est une petite danse élastique, tique, tique, tique,

au milieu des drapeaux, des ballons

et des rubans multicolores, ça alors !

Tout flotte, tout vibre, tout s'agite,

au son de la musique super, supersonique.

Et roule, roule, le ballon rouge.

Vassily Kandinsky
Dessin
1940

Un soleil,

une montagne couverte de neige

et… un ballon rouge.

Dans quelle peinture, dans quelle histoire ?

Mystère, mystère ! Allons voir !

Il n’y a ni montagne, ni soleil, mais un visage tout rond
qui nous regarde de ses yeux ballons.

Qui es-tu, toi ?
Un enfant qui découvre la vie ?
Ou un grand-père étonné de se trouver ici ?
Peut-être les deux après tout.
Monsieur Klee qui t’a peint t’a voulu jeune et vieux,
sage et fou à la fois. Et c’est bien comme ça !

Et passent, passent les ballons rouges...

Paul Klee
Senecio
1922

KLEE

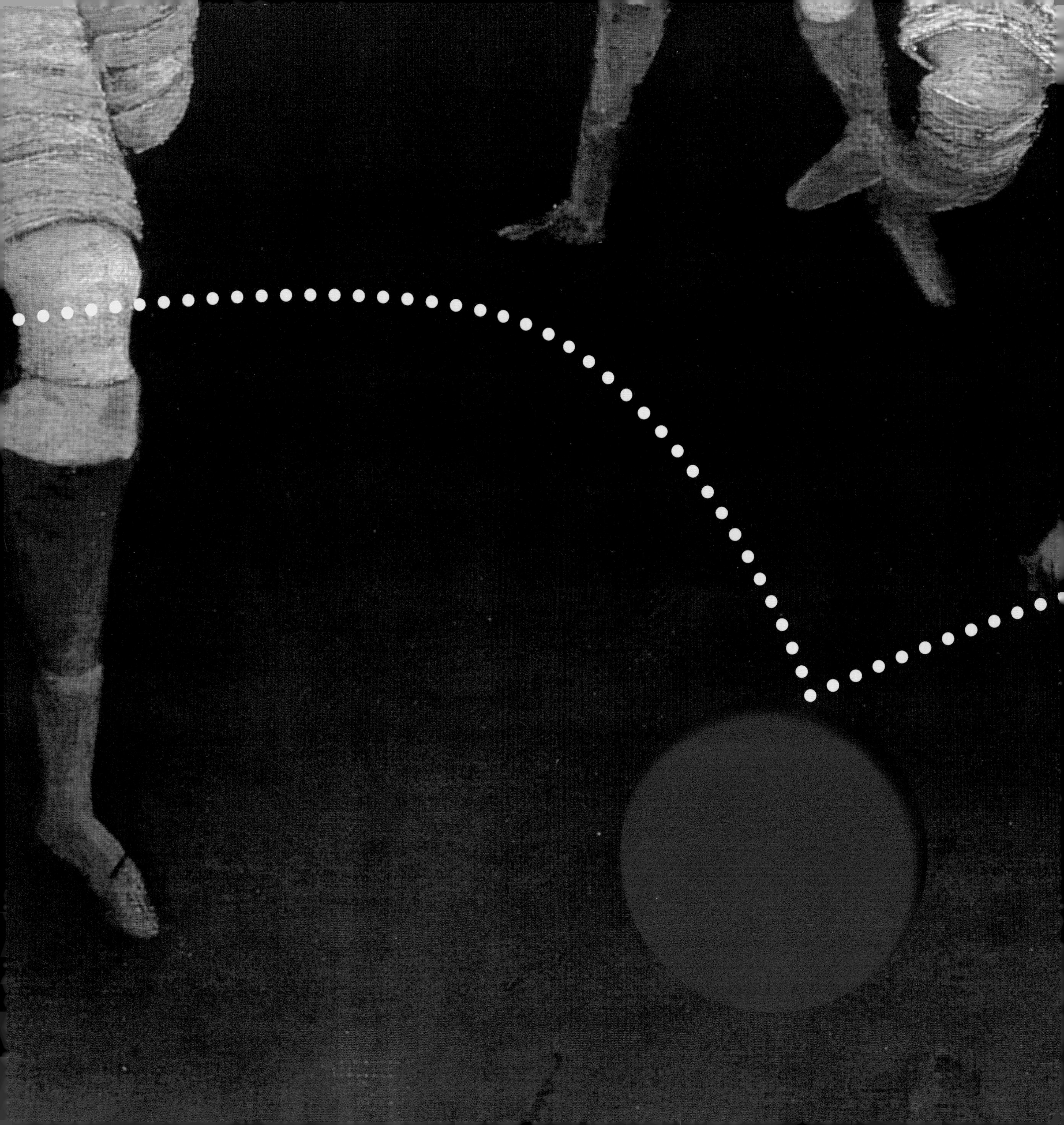